Comment lui dire adieu

Cécile Slanka

Comment lui dire adieu

LIANA LEVI *piccolo*

ISBN : 978-2-86746-504-8

www.lianalevi.fr

SOMMAIRE

Pragmatique

Chéri,

Ton dîner est dans le micro-ondes + une part de tarte dans le frigo. Il reste du vin d'hier soir. T'ai repassé des chemises pour la semaine (tu vois !) et suis passée chercher ton costume (le Gucci) au pressing. Le courrier est sur la table basse (il y a encore une lettre de la banque). Ah oui, j'ai bien enregistré ton match aussi, enfin je crois !

Bref, tu trouveras tout ce qu'il te faut où il faut.

Sauf ta femme.

Adieu,

Nicole.

Joueur

Lucie,

Parce que j'ai vraiment tout à gagner à te perdre : adieu !

Gaël

INSATISFAIT

Ma tendre Judith,

Tu es une femme merveilleuse, j'ai une famille formidable, deux adorables bambins, un métier passionnant, une jolie maison, plein d'amis à mettre dedans… mais voilà, j'aime Sonia.

Christophe

TÉLÉGRAPHIQUE

Lorène

Te quitte. Stop. Et même pas pour une autre. Stop. C'est dire à quel point j'en ai envie ! Stop.

Jo

ÉLOQUENT

Christine,

Je ne sais pas écrire mais je sais encore moins parler, j'opte donc pour la première solution. Maintenant que j'ai écrit cette première phrase, je pense que tu imagineras aisément la suite. Ce qui m'évite et de l'écrire et d'en parler.
Adieu,

Franck

B<small>LASÉ</small>

Hélas Catherine ! Que te dire…
Miserere.
C'est mieux comme ça.
Mea culpa.
Sanglots longs, etc.

Matthieu

FERME

Rodolphe,

Pas la peine de t'énerver, j'ai changé la serrure et d'ailleurs je ne suis pas là.

Va cogner sur autre chose ou quelqu'un d'autre et oublie-moi.

Cynthia

Couillu

Carole,

Je ne pensais pas qu'un jour je repartirais de chez toi en laissant juste un petit mot mais voilà, je suis lâche, j'ai pas les couilles comme tu me le répètes si souvent, donc impossible pour moi de te dire en face à quel point tu me les casses.

Ciao bella, la vie sera plus douce sans toi.

Bernard

Mufle

Charlotte,

Je te quitte et je te laisse…
Tout : amour, patience, souvenirs, affaires, meubles, notes et factures. Tu auras besoin des uns pour honorer les autres.
Sans rancune.

Xavier

LAFONTAINIENNE

Jean,

Adieu veau, lâche, cochon, 'culé…

Perrette

Reconnaissante

Une maîtresse voit dans le meilleur ami de son amant, presque toujours, son pire ennemi ; moi j'y ai vu le meilleur des amants !

Adieu Grégoire, merci de m'avoir présenté Florian !

Aline

Poli

Au revoir Ernestine, et merci pour tout.

Stéphane

ANNONCIATRICE

Urgent – Pour cause déménagement –
vends mari – très peu servi – prix négociable
Adieu Gérard,

Josiane

PRENEUSE

Joël,

Je prends note que tu m'avais déjà prise
de court quand, éprise de toi, tu m'appris
que ton cœur était pris ailleurs. Je t'ai ensuite
pris au mot quand, pris d'un brusque retour
de flamme, tu pris des pincettes pour reve-
nir prendre de mes nouvelles et te déclarer
pris des sentiments les plus vifs à mon égard.
Comme nous prîmes ensuite la peine de ne
pas tout prendre pour argent comptant et
que nous avions pris à cœur de prendre du
temps pour que le feu prenne réellement
entre nous, j'ai fini par reprendre confiance.
J'ai pris plaisir, tout simplement, à te prendre
pour un homme qui prenait ses responsabi-
lités et les choses au sérieux. Nous apprîmes
à bien nous prendre et à bien nous y prendre,
et qu'il fut doux, en ce temps-là, de prendre
la mesure de nos engagements ! Hélas depuis

le temps que je prends sur moi de supporter tes incessants besoins de prendre l'air et tes aller-retour divers chez la voisine, je prends aujourd'hui conscience que tu m'as réellement prise pour ce que je ne suis pas. Aussi, je préfère prendre les devants et te prie de prendre la porte une bonne fois pour toutes. Je t'incite vivement à prendre tes affaires et le large avant ce soir, sans quoi, prise d'une rage subite, il pourrait bien me prendre l'envie de prendre ton revolver ; ne te resterait alors qu'à prendre tes jambes à ton cou, à défaut d'une balle dans la tête. Voilà ! Tel est donc pris qui croyait prendre ; quant à moi, à tout prendre, je préfère perdre un mari et reprendre goût à la vie.

Sidonie

Hypocoristique

Mon Loulou,

Mon lapinou bleu, mon roudoudou, mon caramel, mon chéri d'amour, mon coquelet fou, mon troubadour, mon gros tout doux, mon biquet, mon agneau, mon ange des prés, mon doudou, mon chérinou, mon gros potin sucré, mon nounours, mon poussin, mon gros chat et mon bon vieux Popaul !

Gisèle ! Pour tous les sobriquets débiles dont tu m'affubles depuis des années, je te quitte !!!

Adieu, doux bromure de mon cœur des îles !

Paul

AMNÉSIQUE

Véronique (?),

Je ne me souviens de rien.

Rien de ce qui a pu me faire t'aimer. Rien de ce qui a pu m'amener à vivre avec toi. Rien qui s'approcherait d'un souvenir heureux. Aucun sentiment de joie, aucune empreinte d'émotion, de tendresse ou d'échange. Aucune impression de partage, aucun projet. Pas davantage de sensation de plaisir dans ma mémoire. Pas une seule bonne raison ni même un indice, une piste. Rien. Je ne sais pas qui tu es, ou je ne sais plus. Et de moi aujourd'hui n'en sais pas davantage. Je ne regrette donc rien, sauf de t'avoir connue.

Adieu.

Romain (?)

TRASH

Hubert,

Tu trouveras dans ce bocal ce qui aurait
pu devenir notre fils. Adieu.

Tiphaine

Poétique

Je pars,
J'en ai marre.

Pascal

(Tu remarqueras que j'ai au moins fait
l'effort d'une rime.)

AMBIGU

Ma belle salope,

Devine qui te quitte ?
Pierre ou Patrick ?

P.

Canine

Chéri !

Ça y est !
Je me suis acheté un chien !
J'ai enfin un compagnon à qui parler !

Laëtitia

PS : au fait, pas la peine de chercher à me revoir, en plus d'avoir de la conversation, il est plutôt du genre jaloux.

CONDESCENDANT

Annabelle,

Je voulais t'écrire une missive circonstanciée pour t'énoncer les diverses raisons qui me poussent aujourd'hui à te quitter. Malheureusement, et crois bien que je le déplore, je sais que tes capacités intellectuelles ne pourront jamais te permettre d'en saisir ni le propos ni le détail. C'est regrettable, d'autant que tu n'y peux rien.

Adieu Annabelle, porte-toi bien.

Jean-Baptiste

Légitime

Sarah,

Je ne te quitte pas, je sauve ma peau, nuance.

Adieu,

Octave

ENDEUILLÉE

Melle Cécile Slanka,
Soutenue par toute sa famille,
Entourée de ses amis,
Du docteur Guedoguian,
analyste psychiatre,
Ainsi que de ses collègues et collaborateurs,

a la douleur de vous faire part du décès de :
.   votre couple,
survenu dans sa 3ᵉ année, le 21 juin 2006, à
Paris 13ᵉ, des suites d'une longue maladie.

Les obsèques seront célébrées
dans la plus stricte intimité.

CRUELLE

Arnaud,

Puisque tu m'as demandé d'être franche…
alors oui tu avais raison finalement, nous ne
sommes vraiment pas sur la même longueur
d'ondes, et oui, tu avais raison aussi, elle est
vraiment trop courte.

Emmanuelle

Prévoyante

Benoît, la voilà, ta liste des courses :

veau
maquereau
légume
porc
tarte
thon
bière
mouchoirs
bière
mouchoirs
bière
mouchoirs
Adieu

Céline

DURASSIENNE

Toi. Elle.

Tu écoutes. Là. Elle dit que quand nous nous serons quittés, elle ne veut pas avoir de souvenirs. D'aucune nuit particulière, d'aucune parole, image, fragment qui soit séparé du reste des paroles, images, fragments. Pas de trace de ce qui, fragile, ténu, soudain disparaissant, formait le tout ensemble. Elle dit que ce jour-là, elle veut un souvenir fixe. Fixe et nu. Souvenir du vide qu'il y avait à être deux. Et de la solitude, jaune et immense, solitude lasse, fixe et nue. Et puis elle sourit, ses larmes dans ses mains, elle est très fatiguée et tout à coup elle crie : Nous avons menti. Qu'il n'y aura plus de nuit qui reste avant la séparation. Nous avons peut-être commencé à mourir. Aimer. Ou alors, peut-être. Adieux.

Marguerite

37

Obéissant

Lola,

Puisque tu me demandes sans cesse de rompre avec le quotidien…

Loïc

Lobée

Cher William,

Étant donné l'éprouvante saison que je viens de passer à assumer seule toutes les tâches de la maison tandis que tu visionnais l'intégralité des matchs de tennis à la télé, je voulais juste te dire : « Nom de dieu, petite frappe, enculé de fils de pute, enfoiré, putain de salope de chatte, zob, bite, queue, foune, moule, nœud, gland, trou du cul, pédé, tantouze, imbécile, crétin, cocu, idiot, suceur de bite, pipe, tête de nœud, bâtard, branleur, sac à merde sans couilles va te masturber ailleurs ! » soit la liste exhaustive autant qu'officielle des injures passibles d'amendes pendant les compétitions de Roland-Garros.

Jeu, set et match, adieu !

Sylvie

Logique

Jeanne,

Quand on aime il faut partir.
Moi je ne t'aime plus mais ce n'est quand
même pas une raison pour rester !
Adieu.

                                        Serge

Narquoise

Hélas mon Amour,

Cette lettre pour te dire que je te quitte. Je ne sais pas si j'arriverai un jour à oublier l'incomparable grain de ta peau, le charme inégalable de ton sourire, la perfection de ton buste, le galbe incroyable de tes cuisses, le génie de tes réflexions, l'attrait de ta conversation, les innombrables talents qui te caractérisent et la divine perfection de tes étreintes, mais j'ai dans l'idée que Jean-Pierre pourra m'aider.

Corinne

ŒDIPIENNE

Vincent,

Pas la peine de t'énerver sur tes clefs, j'ai changé la serrure. Pas la peine de repasser prendre tes fringues, je les ai filées à l'Armée du Salut.

Quant au reste, j'ai tout renvoyé à ta mère. Tu devrais être content ! Tu vas enfin retourner chez la femme de ta vie !

Adieu pôv' chéri !

Émilie

Intuitive

Georges,

Je ne sais pas exactement pourquoi je te quitte, mais je sens que c'est exactement ce dont j'ai besoin.

Marie

SADIQUE

Hector,

Comme je sais d'expérience que le plus douloureux, lorsqu'on est quitté, c'est de ne pas bien en comprendre les raisons, je ne t'en donnerai aucune.

Mathilde

Mélomane

Au-jour-d'huiiiiiiiiiiiiiiiiiiiiiii !
J'ai rencontré…
L'homme de ma vie !!!!
Oh oh oh ! Aujourd'huiiiii…
Talim talam tadadadi !
Salut Francis !

Armelle

ÉCHENOZIEN

«Je m'en vais, dit Ferrer, je te quitte. Je te laisse tout mais je pars.» Elles nous faisaient rire ces phrases d'Echenoz, l'incipit qu'on avait appris par cœur et qu'on se répétait au creux d'un fou rire, un coin d'oreiller. Et puis voilà, arrive notre tour et on a le rire jaune, l'air vaguement gêné. La mort, la maladie, tous les trucs dont on pensait qu'ils n'arrivaient qu'aux autres. La rupture. On a l'air con; on est un con. Moins le malin, tout un chacun... on était contre les phrases toutes faites et les expressions... con... venues. Et là, qu'est-ce qu'on a trouvé à se dire. Consternant. Ben voilà, euh, t'as pas une clope? C'est la dernière heure. Celle du condamné à quitter, à se faire quitter, peu importe. C'est un *statu quo* de toute façon. On ressort KO tous deux. Chaos, cahors, vin qui s'ennuyait un peu en notre compagnie ce soir à ce dîner tellement nous étions plats.

On n'a plus rien à se dire en somme. Et ça aussi, c'est un lieu commun. Adieu, ma mie, ma muse, ma douce amie, besoin d'air comme on dit, pense à moi, un peu, parfois, je dédierai mes prochains rêves à ta mémoire.

Sylvain

Lourde

Cher Armand,

Permettez que je vous débarrasse d'un poids qui semble chaque jour vous peser davantage : moi-même.

Sylvia

PRÉVENANTE

Chéri,

Désolée, il n'y a plus de corde dans la cave, j'en ai eu besoin pour attacher mes affaires sur le toit de ta voiture ; en revanche, il reste suffisamment de Valium dans la salle de bain.

Caroline

Ornithologique

Salut vieille dinde,

Tu croyais encore me faire longtemps le coup du miroir aux alouettes mais voilà, moi j'en ai ma claque de faire le pied de grue des heures pendant que tu jacasses comme une pie, de te servir de pigeon quand tu roucoules et te pavanes entre mille coqs et t'en tapes un quand ça te chante. Marre de passer pour une buse, marre de tes promesses, de tes yeux de hibou quand je te fais la moindre remontrance. Toujours à jouer les oies blanches, la colombe qui piaille son innocence ! Alors certes une hirondelle ne fait pas le printemps, mais le caquetage des bécasses qui te servent de copines ajouté aux œillades de tes vautours d'amants qui, fiers comme des paons, roulent des ergots un peu trop haut, faudrait que j'aie une cervelle de moineau pour pas comprendre à quel point je me fais plumer dans l'histoire ! Aujourd'hui j'arrête donc de faire l'autruche, et, l'âme noire de corbeau, vilain petit canard que je suis, je m'apprête à aller étouffer ma rage et le perroquet dans un bouge, boire et becqueter à m'en faire éclater le jabot, me taper n'importe quelle poule qui passe, hululer comme un fou sous la lune et brailler le chant du cygne jusqu'à ce que les poulets me foutent en cage.

Adieu, oiseau de mauvais augure, le dindon de la farce te la régurgite bien bas.

Romuald

Positive

Denis,

Il n'y a plus une seule de mes affaires dans ton armoire, mais, heureusement le frigo est plein, lui !

Stéphanie

CHRONOLOGIQUE

Julien,

Cette lettre pour t'annoncer qu'aujour-
d'hui tu deviens mon ex, ce qui va enfin me
permettre de retrouver celui que l'on qua-
lifiait hier de la même manière.
Ni à demain, ni à jamais.

Françoise

EXPLICITE

Mon cher ex (eh oui, il va falloir te faire à ce préfixe),

Extrêmement romantique fut notre rencontre,
Exceptionnel notre premier week-end,
Excitantes furent nos premières nuits,
Exubérants nos premiers moments,
Exténuant tout ce qui suivit.
Excessive ta possessivité,
Excédante ta jalousie,
Exaspérantes tes petites manies,
Excentrique ton attitude avec mes amis,
Exagérées tes diverses remontrances,
Exiguë ton ouverture d'esprit,
Exorbitantes tes envies,
Extrémiste ta façon de penser.
Exsangue je me suis donc retrouvée.

Soit X bonnes raisons pour t'extirper de ma vie et choisir d'exister plutôt que d'expirer.

xxx

Alex

PRÉCIS

Aude,

Ce n'est pas que je ne t'aime plus… c'est que je crois bien que je ne t'ai jamais aimée.

Valentin

PÂTISSIER

Cerise,

Tu es une extraordinaire cuisinière… mais qu'est-ce que tu es tarte en amour !
Sans rancune !

Alban

MILITAIRE

Mon cher cothurne,

Depuis le temps que tu coinces la bulle et crassusses à tout va tandis que je bovine pour assurer le maintien de notre escadron, j'ai enfin l'honneur de t'annoncer ton départ en mission. Je ne pense pas que je regretterai le bœuf, bien cosaque et cloporte, le brave boulon déformé par les gloutchs, la buse épaisse passant son temps à grapper aux corneilles et s'astiquer le coquillard, bref la sombre burne qui me servait de binôme. Voici donc ton solde et ordre de Sépa sur le champ, allez va, brave petit para, puisque je te largue, t'as plus qu'à l'ouvrir bien large et espérer ne pas finir en torche.

Bon vent !

Ta Gorette

ORTHOGRAPHIQUE

Noémie,

Tu t'ais souvant plaind que je ne t'écrivait jamais. Et pour cose, les quelques lettre ou message que j'ai jamais oser t'ecrire était toutes aussi tôt suivi de tes remarques ironiques sur ma « déplaurable orthografe ». Alors aujourdui, ces sans même utiliser de corecteur automatique que j'ai enfin le plèsir de t'annoncé que je te quite. Parcourt sans fautte, sauf celle d'avoir perdue beaucoup trot de temp avec toi.

Jacques

SAISONNIER

Barbara,

On ne devrait jamais se quitter en automne, pour pouvoir se réchauffer l'hiver, mais comme j'aurai jamais le courage d'attendre le printemps...

Oscar

Déductif

Garance,

Tu es plus belle qu'Annabelle mais beaucoup moins que Camille. Plus intelligente que Julie mais bien moins que Clémence. Tu es plutôt élégante mais il te manque la classe d'Eugénie. Tu es plus drôle qu'Alexandra mais moins spirituelle qu'Élodie. Tu fais mieux la cuisine qu'Évelyne mais moins bien l'amour que Nelly… Alors on se demande bien pourquoi tu tenais tant à me présenter tes copines !

Navré, adieu.

Simon

COMPTABLE

Hervé,

Tu es le seizième garçon que je quitte, mais le premier pour lequel je n'aurai jamais aucun regret.

Sandrine

COMPLEXE

Adieu Sigmund !

Je ne suis pas ta mère !

Martha

Ambivalente

Boris,

Je t'aime pour :
ton insatiabilité sexuelle,
ton indépendance d'esprit,
ton humour pince-sans-rire,
ta singularité de caractère,
ton érudition incroyable,
ton métier captivant,
ta famille hors du commun,
Et, pour les mêmes raisons, je te quitte.
Adieu,

Nadège

Gavé

Albertine,

Lundi : tarte aux poireaux
Mardi : ravioli
Mercredi : poulet braisé
Jeudi : steak frites
Vendredi : cabillaud
Samedi : Au secours !
Dimanche : Adieu !!!

Barnabé

OPPORTUNISTE

Thierry !

Je suis enceinte ! Tu peux faire tes valises, je n'ai plus besoin de toi !

Natacha

Déçue

Antonio,

Quand nous nous sommes connus je refusais ton amitié parce que je te voulais comme amant. Maintenant que je suis devenue ta maîtresse, je me demande si, finalement, tu accepterais que nous devenions amis... Probablement pas. Crois bien que je le déplore, sans rancune.

Brigitte

Victorieuse

Vladimir, je te vire de ma vie !

Vain, violent, vénal, vil, volage, verbeux, vexant, voleur, ventripotent (si si, bientôt), vaniteux, et viscéralement vicieux ! Je pense vraiment valoir mieux !
Va-t'en !

Victoire

CHAMPÊTRE

Chère Anne-Clotilde,

Comme disait Clément Marot, et mon grand-père aussi parfois : « Adieu, je m'en voys à la chasse. »

Jean-Eudes

SUPPLIANT

Esther !

Je n'en peux plus ! J'ai été odieux, mépri-
sant, cynique ! Je t'ai trompée, je t'ai menti !
Je t'ai volée même ! Humiliée, trahie !
Mais que faut-il donc que je fasse pour
que tu me quittes ?

Alain

Devin

Adieu Sandra. Allez pleure pas, un jour tu me remercieras.

Arthur

ADMIRATIF

Bravo ! Félicitations !

À force de rigueur et de ténacité, tu as réussi, et avec brio, à te faire lourder !
Quel talent !

                                    Sébastien

Surbookée

Basile,

Entre la préparation du budget prévisionnel, le conseil d'administration d'après-demain, les Coréens à accueillir, le bouclage du prochain magazine, les réunions du personnel et celles avec les délégués, dont certains syndicalistes que je risque bien d'assassiner un jour, mon voyage express à New York, la dernière collection de Karl, l'injonction des Prud'hommes dont je ne reviens toujours pas, le contrôleur fiscal qui arrive lundi, mon fils à aller chercher chez son père, ma mère qui décidément me tape sur les nerfs, je t'aimerais mieux comme tu dis si j'en avais le temps et le loisir, malheureusement j'ai vraiment trop de boulot !

Pas la peine qu'on se rappelle.

Marie-Thérèse

DÉSENCHANTÉE

Charles,

Il était une fois une belle princesse qui rencontra un prince charmant. Hélas, sans qu'aucune sorcière ne lui jetât de sort, celui-ci se transforma très vite en crapaud, et pas une fée à l'horizon pour lui redonner son apparence initiale. La princesse hésita long-temps avant de se tailler en douce chez les sept nains. Ainsi, ils ne se marièrent pas et n'eurent pas d'enfants.

Aurore

Bureaucratique

Mademoiselle,

En raison de la découverte d'un élément non prévu dans le plan quinquennal de notre couple, en l'occurrence un concurrent de sexe mâle répondant visiblement en tout point aux critères et spécifications de votre cahier des charges, je me vois contraint de mettre fin à notre partenariat.

Sincères salutations,

Marc

Mélodramatique

Considérez, mon amour, à quelles espérances trompeuses votre excès de zèle m'a conduite ! Moi qui mettais tout mon honneur et toute ma religion à n'aimer que vous-même et vous aimais déjà mille fois plus que ma vie ? Considérez l'état où vous m'avez réduite ! Ah, que ferais-je hélas ! Et pourrais-je survivre ? quand, à ces douleurs miennes depuis tant s'ajoutent les marques cruelles d'une trahison dont j'eus espéré qu'elle ne parvînt jamais aux nouvelles de cette ville où je meurs et péris ! Alors adieu, objet ingrat d'une passion qui tout entière me soumet ! Oh comme dans le moment que je vous écris, je ressens que malgré tout, je meurs de douleur à vous quitter. Mais il le faut ! Adieu, adieu ! Hélas, amour, il n'y faut plus songer, aussi je vous écris pour la dernière fois. J'ai chargé Isabelle de prendre toutes les précautions nécessaires pour vous remettre les

CD, K7 et bijoux que vous m'aviez donnés jadis. Hélas combien j'eus été heureuse que vous eussiez pour moi cet amour fidèle, mais il n'est plus temps, je quitte à jamais cette terre peu douce, adieu, adieu ! Soyez indulgent ! Hélas, adieu, mon bon ami, pensez à moi, souvent, aimez-moi toujours, ayez pitié de moi, adieu, je n'en puis plus, promettez-moi de me regretter amèrement.

Mariana

ICHTYOLOGIQUE

Ma Morue,

À force de glisser comme une anguille dès que j'amorce la moindre réflexion sur le menu fretin que je découvre en tes charmants filets lorsque je débarque à l'improviste, j'ai l'honneur de t'annoncer qu'aujourd'hui je plie les gaules.

En gros, je retourne à la pêche et te pisse à la raie.

Colin

Radine

Martial,

Comme tu l'as été des sachets de thé (multi-usages), des pièces de monnaie (récupérées dans les cabines téléphoniques), du chauffage (mis en route à partir du 1er novembre seulement), des plats uniques au restaurant (juste un café et l'addition merci) et de week-ends en Picardie (Venise, c'est tellement surfait!), je serai économe en mots: adieu!

Laure

Affranchi

Chère Éléonore,

Ce matin je n'ai pas été réveillé par la sonnerie de ton téléphone portable à 389 €, je ne t'ai pas préparé ton café, 9 € les 250 grammes, dans ton percolateur à 567 €, n'ai pas eu à attendre deux heures que tu te fardes de crème à 75 € les 10 centilitres, t'attifes de fringues griffées et autres accessoires de luxe, et pas davantage que tu daignes m'accompagner au bureau dans ta voiture à 3 fois mon salaire annuel. J'ai pris seul mon petit déjeuner, 1,70 € environ, enfourché ma bicyclette, et suis allé travailler dans l'air frais du petit matin, savourant enfin le prix de ma liberté. Adieu.

Job

Renversante

.troffe nu rednamed et av erttel ettec eriL
euq reinred el te reimerp el neib ares ec tE
! iom ruop saref ut

! salociN ueidA

Métropolitain

Madeleine,

Comme je me souviens de notre rencontre le Quatre Septembre sur les Grands Boulevards, station Bonne Nouvelle ! Tu faisais l'école du Louvre, j'étais aux Arts et Métiers ; nous étions jeunes et Volontaires, l'air fleurait bon le Jasmin, la vie semblait un Opéra. Ensuite on a voyagé toi et moi : ah l'Argentine, Bel Air de tango sur Place des fêtes sublimes, Le Caire et ses somptueuses Pyramides, et notre périple en Europe : nos serments sur le Danube et notre nuit Blanche à Rome, t'en souviens-tu ? Tout n'était que Plaisance, Gaîté et Monceau de réjouissances. Hélas, ensuite on s'est installé, Rue des Boulets, j'aurais dû y voir un signe. Métro, boulot, dodo… Convention du quotidien, nos vies sont devenues Ternes, nos sentiments, comme passés à la Javel, Invalides.

Nous avons commencé toi et moi à arpenter le territoire du non-dit, l'Esplanade de la Défense. Puis ce fut la période Glacière, tu devins Muette, distante, une vraie Fille du calvaire, et moi, j'étais le Cadet de tes soucis… C'est pourquoi aujourd'hui je pense qu'il est préférable que nos chemins se séparent, que chacun emprunte son côté de La Fourche. Reçois donc ce triste Télégraphe comme ta remise en Liberté, c'est toujours mieux qu'une séparation lugubre sur le Quai de la gare.

Kléber

Stylé

Hélas ma chère Ariane,

De fil en aiguille je découvre que notre histoire est tissée de mensonges. Dans l'art de broder il semblerait que tu me battes à plate couture. Je préfère donc couper court à notre relation et déplore sincèrement de ne pas t'avoir mis une veste plus tôt. Comme je n'ai pas envie néanmoins d'en découdre avec toi aujourd'hui, je te laisse ce petit message de ma confection, artisanale ça va de soie, et repasserai demain, prendre le reste de mes vêtements.

Karl

Rhétoricien

Sophie,

J'en ai marre, j'en ai ma claque, j'en ai assez, j'en ai ras le bol, ras la casquette, plein le dos, plein les basques et les baskets, j'en peux plus, j'en ai soupé, tu me soûles, tu m'énerves, tu me gaves, tu me lourdes, tu me gonfles, tu me sors par les yeux, tu me les brises menu, me les casses, tu me pompes l'air, tu me pètes les couilles, tu m'emmerdes, me prends la tête, tu m'ennuies, tu m'agaces, tu me tapes sur le système, tu me fais chier, me crispes, m'horripiles et m'accables, me rebutes et me dégoûtes, tu me rends fou, neurasthénique, haineux… C'est bon là ? J'ai assez a.r.g.u.m.e.n.t.é ?

Jean-Charles

Sandienne

Je suis très émue de te dire que j'ai
bien compris l'autre soir que tu avais
toujours une envie folle de te faire
muter. Il faudrait que tu aies une chance de
cocu et je voudrais bien que ce soit
non pas le cas, mais par un heureux hasard,
le plus tôt possible. Je serais ravie de te rendre
service au besoin et d'entreposer chez moi
tout ce qui t'appartient avant que
tu ne déménages, puisque tel est ton désir
de partir pour de bon. J'ai hâte de me faire
enfin
licencier pour te rejoindre au plus vite.
Baiser.

Georgette

Concis

Dorothée,

Comme je suis plutôt synthétique :
Adieu.

Frédéric

FUNÈBRE

C'est avec un profond sentiment d'émotion que je viens te rendre un dernier hommage, ô toi, compagnon, maître et grand artiste, qui eut pour carrière d'être le plus déplorable des amants et le plus exécrable des maris.

Amer, hargneux et misogyne, Alphonse tu le fus plus que tout homme au monde. Et avec quelle obstination, absorbé dans ton obsession tu vibrais, de toute ton âme, à trouver des torts aux femmes et à la tienne en particulier !

Cette aversion lyrique pour le beau sexe, fiévreuse, et que tu aimais tant communiquer aux autres, fut la caractéristique majeure de ta production, œuvre si particulière et ô combien prolixe dont il faut encore souligner l'incomparable imagination. Débordante d'éclats subits, de soupçons fantaisistes et d'exhortations fleuries, ta palette, Alphonse,

brillait par une richesse de touches inégalable et de coups de génie à tout point de
vue frappants. En somme, toujours égal et
généreux pour me dispenser ton mépris, on
peut dire que tu avais du cœur, du ventre et
de la poigne.

Alphonse tu fus en cela éminemment
expressif, sincère et persuasif. C'est ce qui te
fit si grand dans ton art où tu fus conscien-
cieusement réac, censeur, perfide, et constam-
ment odieux, vain, violent, jaloux, vénal, vil
et déloyal, en un mot : virtuose !

Mon vieil Alphonse, reçois ici le souvenir
ému de ta compagne, de peine et de vie
commune, et le témoignage d'une ennemie
sincère qui te quitte pour toujours et ne t'ou-
bliera jamais.

Annie

CANDIDE

Hélas ma chérie,

Que peut-on attendre d'un monde où les chasseurs assassinent la maman de Bambi ? Comment avoir de l'espoir quand tout autour de soi, c'est la violence et la haine, la déprime et la guerre ? Tout ça c'est dégueulasse, et les politiques s'en foutent en plus ! C'est vraiment trop révoltant ! Y a trop de méchants, pas assez de gentils et puis plein de pauvres aussi, toujours sympas et souriants ! On ferait bien d'en tirer des leçons ! Mais nous on fait que de se plaindre, on est vraiment difficiles ! Ce s'rait si simple de...

Bon allez, Candy, la vie c'est vraiment trop injuste, la preuve : je suis un beau salaud puisque je te quitte !

Ronand des collines

90

PERVERS

Ma chère Ondine,

À ce moment-là, j'aimerais te serrer dans mes bras, te tirer par la manche et te dire : « regarde il fait si beau », te passer mon mouchoir, te servir un petit verre d'armagnac, passer un disque d'Erik Satie et rire si clairement que tu laisserais surgir de tes larmes ce qui pourrait bien déjà ressembler à un sourire. On soupirerait ensemble et tout ne serait qu'un mauvais souvenir. Mais voilà, je ne le ferai pas, parce qu'à ce moment-là, je ne serai plus là.

Je te souhaite des jours plus doux et plus forts sans moi…

Je pars.

Thomas

Faussaire

Mon cher Olivier,

Comme tu m'as quittée brusquement sans même daigner, eu égard à quelque trois années vécues à deux, prendre la plume pour m'en informer, je prends aujourd'hui la mienne pour écrire à ta place ta lettre de rupture :

« *Ma Chère Amandine,*

Je manque de courage pour te dire de vive voix que je te quitte. Si seulement j'avais su trouver les mots et le ressort nécessaire pour te faire part, au fil du temps, de mes angoisses et interrogations, j'aurais pu les juguler et certainement sauver notre relation. Mais voilà, je suis un lâche doublé d'un paranoïaque aigu, aussi n'ai-je jamais pu t'accorder véritablement ma confiance, à l'image du peu de crédit que je m'accorde à moi-même. Je préfère donc, affichant en cela une tendance indéniable à l'autodestruction, demeurer seul. Je réalise en te quittant que bien souvent, n'assumant pas le poids de ma propre vie, j'en reportais les torts et dysfonctionnements sur les autres, toi en premier. Ce qui prouve qu'en plus d'avoir été effroyablement lâche et vaniteux, je me suis comporté comme un con. Je te demande pardon et te souhaite une belle vie enfin débarrassée du misérable que je suis.

Olivier »

ÉCOLIÈRE

Cher Monsieur le professeur d'Histoire,

Comme la nôtre ne m'a vraiment rien appris, permettez-moi de l'oublier.

Léa (Terminale B)

VANDALE

Fernando,

Je te laisse la voiture dans l'état où tu as mis mon cœur !

Martine

Mécanique

Claire,

L'examen des phénomènes générateurs de défauts dans les structures permet de distinguer différents types de mécanismes physiques qui conduisent à la rupture d'une pièce donnée : pression, clivage, déchirement, fatigue, effets d'environnement, corrosion sous contrainte, fragilisations diverses.

En tant qu'expert, il est de mon devoir de t'annoncer que les analyses approfondies de notre alliage sont négatives. Heureusement, la recherche en sciences des matériaux a permis de déterminer plusieurs conduites à tenir en présence de défauts et des théories de prévention. Malheureusement, suite à l'échec cuisant des méthodes appliquées, il ressort de mes calculs récents que la durée de vie de notre couple est aujourd'hui égale à zéro. Le scientifique que je suis ne peut que se plier aux lois de la physique et t'annonce donc notre fission imminente. De l'éclatement de notre noyau instable, nous devrions ressortir tous deux plus légers.

Grégory

FLUVIALE

Gonzague,

Je désire vivement que ma lettre ne te trouve pas à ton domicile et qu'à l'heure où le facteur sonnera, tu sois déjà dans les flots de la Seine, occupé à te noyer. Si ce n'était pas encore le cas, sache que je romps nos fiançailles et que j'ai bon espoir que cette confirmation te pousse à faire quelques brassées.

Je ne te salue pas,

Domitille

Décrétée

« Le gouvernement provisoire de la
IIᵉ République, considérant que l'esclavage
est un attentat contre la dignité humaine,
qu'en détruisant le libre-arbitre de l'homme,
il supprime le principe naturel du droit et
du devoir, qu'il est une violation flagrante
du dogme républicain "Liberté, Égalité,
Fraternité" […], décrète : l'abolition défini-
tive de l'esclavage. »

Salut !

Rose-Marie

CONTRACTUELLE

Monsieur le Président de famille,

Après avoir vainement tenté d'attirer votre attention sur la dégradation de mes conditions de ménage et ses conséquences préjudiciables pour mon équilibre, je déplore qu'aucune démarche n'ait été entreprise pour remédier à la situation.

Les humiliations que j'endure chaque jour sont devenues insupportables et attentent gravement à ma santé physique et morale. Mon médecin traitant, au vu de l'état dépressif auquel je suis réduite, m'a prescrit une semaine de repos à Aix-les-Bains chez ma mère, arrêt de travail initial que je vous ai adressé, suivi d'une prolongation qui vous a été envoyée la semaine suivante, pour une période indéterminée.

Je ne reprendrai donc plus mon activité d'épouse dans votre famille, considérant que mon contrat de mariage est rompu de votre fait.

En attendant de vous revoir au tribunal, veuillez agréer, Monsieur le Président de famille, l'expression de mes salutations outragées.

Élizabeth

FUGACE

Eva,

Les écrits restent, moi pas.

                                    Michel

Surenchérie

Cyril,

Comme tu me demandais par quel moyen te racheter, j'ai mis une annonce sur eBay:
« Vends longue correspondance amoureuse manuscrite + informatique. Lot de 112 lettres (claires et lisibles) et 345 échanges numériques (mails et conversations "chat" convenablement écrites, sans abréviations).

Mise en vente 1 € sans prix de réserve.

Achat immédiat: 500 € le lot avec toutes les photos en sus. »

Virginie

PERECQUIENNE

Ernest,

Je te déteste.

Je me repens d'être entrée, qelle écervelée, chez Estelle et de m'être enchevêtrée, qel pêle-mêle effréné, en tes vêtements et béret prestement enlevés. Je regrette extrêmement q'en les fenêtres de chez cette perverse nénette, se reflétèrent tes lèvres et verge lestement dressées vers ses fesses.

Ces événements, tes serments et dérèglements répétés me débectent Ernest! Hébétée et blême, je stresse d'être restée en tes ferrements de dégénéré tellement de temps et me rebelle derechef! Reste chez cette femme Ernest et ne tente de défense! J'espère fermement qe cette chevrette délétère, experte en bêlements et emmerdements, te mente et te vexe, te blesse et te berne, te mène d'échec en échec et qe t'en crèves! Je rêve de ce décès et m'en délecte secrètement en même temps qe je t'éjecte, Ernest, de mes pensées et cercle très fermé ; je préfère les mecs tendres et célèbres, les éphèbes sveltes et très membrés tel le frère de Thérèse !

En bref : reste éternellement en enfer, Ernest !

Hélène

INCONSTANT

Pénélope,

Un soir, nous nous promîmes de nous aimer éternellement.

Et l'éternité commença pour moi…

Adieu, je repars à la conquête de l'éphémère.

Gaspard

Policé

Adieu Anne-Marie, navré d'avoir fait votre connaissance.

Jean-Philippe

Buggée

L'application « Desperate Wife 7.2 » a dû quitter de façon inattendue à cause d'une erreur de type « FuckU 1,001 ».

Bettina

Typique

Nathalie,

J'ai bien réfléchi, je crois qu'il vaut mieux nous séparer. Tu es trop bien pour moi. En plus sans t'en rendre compte tu me mets vraiment la pression. Et moi je suis pas prêt à m'engager. Je crois que c'est vraiment trop précipité et qu'on a besoin de faire un break tous les deux. Moi en tout cas j'ai besoin de me retrouver, de souffler un peu. J'espère que tu ne m'en voudras pas trop de ma franchise. Désolé.

Yves

Numérique

Le 27/03, à 12 h 17, dans un autobus de la ligne 92, à 3 km 600 de son point de départ, chargé de 48 personnes, soit 27 femmes et 21 hommes, 1 individu de sexe masculin, âgé de 32 ans, 3 mois, 12 jours, taille 1 m 86, pesant 80 kg et portant sur la tête une casquette de toile de 17 cm de diamètre, interpelle 1 femme de 29 ans, 1 mois et 3 jours, taille 1 m 63, pesant 51 kg, au moyen de 12 mots dont 1 fut répété 3 fois, dont l'énonciation dura 9 s, faisant allusion à une somme d'unités temporelles ainsi qu'à l'amplitude d'un certain phénomène[1]. 3 mn et 15 s plus tard, les 2 individus décidèrent de ne plus jamais se lâcher d'1 cm.

Désolée Raymond, j'ai retrouvé Constant !

Mireille

---

1. « Mireille ! Ça fait… 4 ans ! Et je, je… je t'aime encore ! »

Achevé d'imprimer en janvier 2009
dans les ateliers de Normandie Roto Impression s.a.s.
61250 Lonrai (Orne)
N° d'impression : 084372
Dépôt légal : février 2009

Imprimé en France